U0113566

中國美術全集

建 築 三

全 國 百 佳 圖 书 出 版 單 位

時代出版傳媒股份有限公司

黃 山 書 社

目 録

鄉 土 建 築

紳商宅院建築

地方民宅建築

私家園林建築

郷 土 建 築

北京禮士胡同宅院

位于北京東城區禮士胡同。

北京禮士胡同某宅金柱大門

位于北京東城區禮士胡同。

北京禮士胡同某宅影壁

位于北京東城區禮士胡同。

紳商宅院建築

北京禮士胡同某宅垂花門
位于北京東城區禮士胡同。

北京禮士胡同某宅抄手廊
位于北京東城區禮士胡同。

北京禮士胡同某宅內院
位于北京東城區禮士胡同。

北京文昌胡同宅院

位于北京西城區文昌胡同。

北京文昌胡同某宅垂花門

位于北京西城區文昌胡同。

紳商宅院建築

北京文昌胡同某宅垂花門細部

北京文昌胡同某宅庭院
位于北京西城區文昌胡同。

北京文昌胡同某宅厢房檐廊
位于北京西城區文昌胡同。

紳商宅院建築

北京文昌胡同某宅碧紗廚

■ **北京後海宅院**
　　位于北京西城區後海。

北京後海某宅屏門
位于北京西城區後海。

北京後海某宅正房檐廊
位于北京西城區後海。

北京後海某宅庭院
位于北京西城區後海。

北京後海某宅垂花門細部

崇禮住宅

　　位于北京市東城區東四六條63號、65號。原爲清末大學士崇禮及其侄之宅。宅院坐北朝南，平面近似方形，由東、西和中路組成。東、西路爲住宅，中路爲花園，每路臨街各有大門。

崇禮住宅全景
位于北京東城區東四六條。

崇禮住宅中路正房
位于北京東城區東四六條崇禮住宅内。

崇禮住宅西路第三進院落
位于北京東城區東四六條崇禮住宅内。

喬家大院

位于山西省祁縣喬家堡村，是清代著名商賈喬致庸的宅第。始建于清乾隆年間，後經多次增修擴建，于民國年間成今日規模。全宅爲全封閉的城堡式建築群，占地8700平方米，分爲六個大院，十九個小院，三百一十三間房屋，所有院落都是正偏結構。整個建築爲高10多米的高墙所圍，入口爲古堡式門樓，正對80米長的甬道。

喬家大院正門甬道

位于山西祁縣喬家堡村喬家大院内。

喬家大院一號院全景

位于山西祁縣喬家堡村喬家大院内。

喬家大院一號院中院和內院
位于山西祁縣喬家堡村喬家大院内。

喬家大院二號院内景
位于山西祁縣喬家堡村喬家大院内。

喬家大院四號院照壁廳
位于山西祁縣喬家堡村喬家大院內。

喬家大院祠堂外景
位于山西祁縣喬家堡村喬家大院內。

喬家大院院内旁門

位于山西祁縣喬家堡村喬家大院内。

喬家大院院内旁門
位于山西祁縣喬家堡村喬家大院内。

王家大院

　　位于山西省靈石縣静升鎮。建于清代，占地面積25萬平方米，現存高家崖地、紅門堡兩大建築群和王氏宗祠等，大小院落共一百二十三座，房屋一千一百一十八間。兩組建築群東西相對，一橋相連，皆爲全封閉城堡式建築。每個院落的正房爲傍山鑿土而建的窑洞，一排五間，而東西側房則爲正規的瓦房。

王家大院凝瑞居大門

位于山西靈石縣静升鎮王家大院内。

王家大院凝瑞居正廳
位于山西靈石縣靜升鎮王家大院內。

王家大院敦厚宅門樓
位于山西靈石縣静升鎮王家大院内。

王家大院月洞門

位于山西靈石縣静升鎮王家大院内。

王家大院桂馨書院正窑房
位于山西靈石縣静升鎮王家大院内。

王家大院磚雕照壁
位于山西靈石縣静升鎮王家大院内。

紳商宅院建築

丁村宅院

位于山西省襄汾縣丁村。現存明、清宅院二十餘座，分爲北、中、南三個建築群落，占地面積約9萬平方米。北區爲明代建築，以單體四合院爲主；中、南區爲清中期和晚期建築，多爲二進四合院落。

丁村宅院全景

位于山西襄汾縣丁村。

丁村宅院某宅院内牌坊門
位于山西襄汾縣丁村。

紳商宅院建築

丁村宅院某宅大門

位于山西襄汾縣丁村。

丁村宅院某宅後樓挑欄
位于山西襄汾縣丁村。

绅
商
宅
院
建
築

丁村宅院某宅正房檐廊
位于山西襄汾縣丁村。

丁村宅院某宅内景
位于山西襄汾縣丁村。

丁村宅院某宅欄板木雕

绅商宅院建築

姜氏莊園

位于陝西省米脂縣橋河岔鄉劉家峁村，是中國最大的城堡式窰洞莊園。由陝北首富姜耀祖建于清光緒年間。莊園占地40畝，由下院、中院、上院和寨墙等組成，三院之間有暗道相通。寨墙高10米，城垣上設碉堡和角樓。

姜氏莊園全景

位于陝西米脂縣橋河岔鄉劉家峁村。

姜氏莊園大門内儀門
位于陝西米脂縣橋河岔鄉劉家峁村姜氏莊園内。

姜氏莊園主庭院
位于陝西米脂縣橋河岔鄉劉家峁村姜氏莊園内。

綵衣堂

位于江蘇省常熟市古城區翁家巷，是翁同龢故居的
主要建築。始建于明代中期，清末由翁家購得。翁氏故
居占地面積6000平方米，綵衣堂爲故居主廳，建築爲
三進院落式。

綵衣堂大門

位于江蘇常熟市古城區翁家巷綵衣堂内。

綵衣堂正廳

位于江蘇常熟市古城區翁家巷綵衣堂内。

綵衣堂正廳內景

綵衣堂書齋

位于江蘇常熟市古城區翁家巷綵衣堂内。

紳商宅院建築

東陽盧宅

位于浙江省東陽市。始建于明永樂年間，現存建築爲明清兩代相繼修建，占地面積500餘畝，共有六組建築，以盧氏大宗祠爲中心。肅雍堂規模最大，共九進院落，建于明景泰七年至天順六年（公元1456–1462年）。

東陽盧宅牌坊群
位于浙江東陽市盧宅内。

東陽盧宅肅雍堂外貌
位于浙江東陽市盧宅内。

東陽盧宅肅雍堂大廳
位于浙江東陽市盧宅內。

東陽盧宅後廳簷廊
位于浙江東陽市盧宅內。

東陽盧宅大夫第側院門罩
位于浙江東陽市盧宅內。

東山明善堂

位于江蘇省蘇州市吳中區東山鎮楊灣村。共四進院落，布局分爲東、西兩部，東部爲主體建築。

東山明善堂内景

位于江蘇蘇州市吳中區東山鎮楊灣村明善堂内。

東山明善堂正門及院墻
位于江蘇蘇州市吳中區東山鎮
楊灣村明善堂內。

東山明善堂問梅館內景
位于江蘇蘇州市吳中區東山鎮
楊灣村明善堂內。

同里嘉蔭堂

位于江蘇省吳江市同里鎮陸家灣小河沿岸。大門爲門樓式建築。檐部略出挑，單檐捲棚歇山頂。

同里嘉蔭堂院門

位于江蘇吳江市同里鎮陸家灣嘉蔭堂內。

同里嘉蔭堂內景

位于江蘇吳江市同里鎮陸家灣嘉蔭堂內。

周莊沈宅和張宅

周莊位于江蘇省昆山市，爲一河流縱橫交錯的水鄉。鎮上有較爲大型的明清宅院，如沈宅和張宅。沈宅坐東朝西，七進五門樓，有大小一百餘間房屋，分布在100米長的中軸綫兩旁；張宅爲一座明代住宅，兩層樓房，古樸典雅。

周莊沈宅松茂堂前院

位于江蘇昆山市周莊沈宅内。

紳商宅院建築

周莊張宅玉燕堂大廳
位于江蘇昆山市周莊張宅内。

黄山八面廳

　　位于浙江省義烏市上溪鎮黄山村。建于清乾隆、嘉慶時期，房主陳子寀是當地有名的富商。整個建築平面爲三進三間兩廊及兩跨院布局，占地面積約3000平方米。雕刻分爲磚雕、石雕、木雕三大類，尤以木雕最爲精妙。

黄山八面廳全景
位于浙江義烏市上溪鎮黄山村。

黄山八面廳正廳外檐木雕飾

徐渭故居

位于浙江省紹興市。徐渭爲明代著名書畫家，因別號"青藤"，故其故居又稱"青藤書屋"。故居包括住宅、書齋和庭院三個部分。

徐渭故居内院

位于浙江紹興市徐渭故居内。

徐渭故居月亮門
位于浙江紹興市徐渭故居内。

棠樾村鮑宅

　　位于安徽省歙縣縣城西6公里處。鮑氏爲明清時期的望族。

棠樾村鮑宅廳堂外檐

位于安徽歙縣棠樾村鮑宅内。

紳商宅院建築

棠樾村鮑宅廳堂內景
位于安徽歙縣棠樾村鮑宅内。

宏村承志堂

位于安徽省黟縣宏村鎮宏村。建于清咸豐五年（公元1855年），是大鹽商汪定貴的住宅，全宅有九個天井和大小房間六十餘間。

宏村承志堂外貌

位于安徽黟縣宏村鎮宏村。

宏村承志堂正廳

位于安徽黟縣宏村鎮宏村承志堂內。

宏村承志堂内院和門廊

位于安徽黟縣宏村鎮宏村承志堂内。

■ 西遞村西園

位于安徽省黟縣西遞村。清道光年間知府胡文進所建，是徽州建築中有代表性的園林式宅第。園內有呈一字形排列的三幢樓房，用長條形庭院將其聯成一體。

■ 西遞村西園前院

位于安徽黟縣西遞村西園內。

▍朱耷故居

　　位于江西省南昌市南郊上定山橋附近。是清代著名畫家八大山人的故居，又稱"青雲譜"。故居布局分爲住宅、書齋和庭苑三部分，四周有圍墻，墻外爲池塘。

▍朱耷故居全景
位于江西南昌市。

朱耷故居正廳
位于江西南昌市朱耷故居内。

朱耷故居後院
位于江西南昌市朱耷故居内。

朱耷故居厢房檐廊

位于江西南昌市朱耷故居内。

朱耷故居偏院

位于江西南昌市朱耷故居内。

景德鎮玉華堂

　　位于江西省景德鎮市。建于清道光年間，原在婺源，後人遷建于現址。玉華堂爲三進院落式平面，外觀兩側爲高大的封火山墙，大門爲牌樓式。

景德鎮玉華堂大門
位于江西景德鎮市玉華堂内。

紳商宅院建築

景德鎮玉華堂前堂檐廊軒頂

▌景德鎮黃宅

　　位于江西省景德鎮市。建于清道光年間，黃宅平面爲"工"字形，大廳與後堂用穿廊相連。室内梁架、檐廊梁架、門窗槅扇、屏門等均有雕飾，并施彩繪。

▌景德鎮黃宅宅門

位于江西景德鎮市黃宅内。

紳商宅院建築

景德鎮黃宅檐廊軒頂

景德鎮黃宅書齋和內庭
位于江西景德鎮市黃宅内。

景德鎮黃宅槁扇細部

泉州楊阿苗宅

　　位于福建泉州市鯉城區江南鎮亭店村。建于清光緒年間，爲一座三屋相連的大型宅第。正屋爲五間兩進四合院，前廳兩側各設一天井；東西兩屋爲三間兩進四合院。建築中裝飾大量石雕、磚雕、木雕和灰塑，工藝精湛。

泉州楊阿苗宅外景
位于福建泉州市鯉城區江南鎮亭店村。

泉州楊阿苗宅大門一角

泉州楊阿苗宅門檐部雕飾

泉州楊阿苗宅廳堂槅扇

夕佳山宅院

　　位于四川省江安縣夕佳山鎮壩上村。明末由黃氏家族營建，清代、民國屢有修繕。占地面積約7萬平方米，有房屋一百二十三間，爲組合四合院式，縱深三進，大門、正門、後廳依次排列于中軸綫上。宅院的四面置有池塘和花園，保留了宋、明以來的民間建築風格。

夕佳山宅院前廳

位于四川江安縣夕佳山鎮壩上村夕佳山宅院內。

夕佳山宅院後花園

位于四川江安縣夕佳山鎮壩上村夕佳山宅院內。

夕佳山宅院戲臺

位于四川江安縣夕佳山鎮壩上村夕佳山宅院內。

天水胡氏宅院

位于甘肅省天水市秦州區，是甘肅省境內保存最完整的明代宅第。宅院爲五進式庭院布局，占地面積2350平方米，現存房屋建築八座二十六間。

天水胡氏宅院全景

位于甘肅天水市秦州區。

■ 栖霞牟氏莊園

位于山東省栖霞市城北古鎮都村。始建于清雍正元年（公元1723年）。布局爲四合院多進連貫式，建築分三組六院，共有房舍四百八十多間，每座院落皆沿中軸綫依次建有大門、倒座、前廳、客廳、寢樓、北群房及左右厢房，均爲硬山屋頂。

栖霞牟氏莊園外景

位于山東栖霞市古鎮都村。

栖霞牟氏莊園東忠來堂
位于山東栖霞市古鎮都村牟氏莊園内。

栖霞牟氏莊園東忠來堂内景

绅商宅院建筑

■ 丁氏故宅

位于山東省龍口市黃城西大街，是清代山東首富丁氏家族的住宅。建于清代中期。由愛福堂、履素堂、保素堂、崇儉堂四個大院和一處花園組成，房屋五十五棟二百四十三間。建築風格兼京城府第和膠東民居的風格，每個大院中軸對稱布局，五進四合院落。

■ 丁氏故宅局部
位于山東龍口市黃城西大街丁氏故宅内。

■ 丁氏故宅愛福堂客廳
位于山東龍口市黃城西大街丁氏故宅内。

康百萬莊園

　　位于河南省鞏義市康店鎮。始建于清初，歷經近百年續建，形成了規模龐大的城堡式莊園。莊園占地面積6萬多平方米，有庭院三十三個、樓房九十三座、平房五十七間和窰券七十三孔。

康百萬莊園局部

位于河南鞏義市康店鎮康百萬莊園内。

康百萬莊園中院院門
位于河南鞏義市康店鎮康百萬莊園内。

康百萬莊園前院
位于河南鞏義市康店鎮康百萬莊園内。

安陽馬氏莊園

位于河南省安陽市西蔣村，是清代歷任廣西、廣東巡撫的馬丕瑤宅第。建于清光緒年間。建築占地面積2萬平方米，共有房屋三百餘間，分爲六路，每路分五個庭院。前後開九門，俗稱"九門相照"。

安陽馬氏莊園正門
位于河南安陽市西蔣村馬氏莊園内。

安陽馬氏莊園堂院北樓
位于河南安陽市西蔣村馬氏莊園内。

紳
商
宅
院
建
築

朗色林莊園

　　位于西藏自治區扎囊縣朗色林鄉。始建于帕竹王朝時期（相當于明代）。由圍墙、護墙壕、主樓、馬厩、經堂、倉庫、神殿及花園組成，主樓高七層，用土、石築成。

朗色林莊園
位于西藏扎囊縣朗色林鄉。

馬家浜文化綽墩遺址7號房址

位于江蘇省昆山市巴城鎮，年代爲公元前4500年的馬家浜文化時期。7號房址平面呈長方形，南北寬5.6米，東西長6.8米，分居所和厨房兩個部分。

馬家浜文化綽墩遺址7號房址

位于江蘇昆山市巴城鎮。

仰韶文化八里崗遺址21號房址

位于河南省鄧州市白莊村，年代爲公元前4000年的仰韶文化中期。房址爲地面建築，多開間排房。21號房址兩端遭破壞，東西殘長26米，進深7米，面闊8套（間），每套房又分爲一大兩小三間或一大一小兩間，大間面積約15平方米，小間約3–6平方米。

仰韶文化八里崗遺址21號房址

位于河南鄧州市白莊村。

屈家嶺文化門板灣遺址房址

　　位于湖北省應城市星充村，年代爲公元前3000年的屈家嶺文化晚期。在門板灣遺址西城垣之下發現一座土坯磚砌築的大型院落，由主體房屋、附屬房屋和圍墙組成。院落面積近400平方米。主體建築由長方形房屋和屋前走廊組成，位于院落南側。房屋坐南朝北，東西長16.2米，南北寬7米。四開間，中間兩室較大，旁邊兩室稍小。房屋墙體厚0.38－0.55米，最高處達2.2米。

屈家嶺文化門板灣遺址房址
位于湖北應城市星充村。

漢代建築明器

　　漢代是中國古代建築的第一個高峰，西漢末開始出現樓閣建築，柱頭已使用成組的斗栱，屋頂出現了廡殿、歇山、懸山和攢尖等多種形式。保存至今的漢代建築實例非常稀少，木構建築更是完全不見。在中國很多地區漢墓中出土的建築明器，種類有院落、倉房、樓閣及作坊、圈舍等，表現了漢代建築物的形制特徵和建築技術，是了解漢代建築藝術直觀的實物資料。

西漢陶院落
河南鄭州市出土。
通高76、長80、寬78厘米。

西漢二層陶倉樓
河南安陽市出土。
通高47、長49.5、寬14厘米。

東漢陶院落

河南淮陽縣于莊出土。
通高89、長130、寬114厘米。

東漢陶院落內景

地方民宅建築

東漢七層連閣陶樓閣、複道、倉樓
河南焦作市白莊出土。
通高192、寬168厘米。

東漢五層陶樓
河南焦作市出土。
通高148厘米。

東漢五層釉陶樓
河北阜城縣桑莊出土。
通高216厘米。

東漢釉陶樓
山東高唐縣東固河出土。
通高130.2厘米。

東漢釉陶樓
河南靈寶市張灣村出土。
通高130厘米。

地方民宅建築

東漢陶樓
湖北雲夢縣出土。
通高72厘米。

東漢陶樓

廣西貴港市出土。
通高32、長34、寬27厘米。

地方民宅建築

姬氏民居

位于山西省高平市陳塸鎮中莊村一農家小院內，是迄今發現年代最早的元代民居。屋坐北朝南，面闊三間，進深六架椽，懸山屋頂。左門砧上刻有"大元國至元三十一年歲次甲午仲□□□姬宅置□石匠天黨郡馮□馮□□"題記，至元三十一年爲公元1294年。

姬氏民居正房
位于山西高平市陳塸鎮中莊村。

北京四合院

　　北京四合院都有一條南北走向的中軸綫，東、西、南、北四個方向的房屋共同面向一個庭院。四合院由門、影壁、房、廳、廊和庭院組成，組合形式有單重院及多重院。

北京四合院院落群

北京豐富胡同某宅四合院如意大門
位于北京東城區豐富胡同。

北京跨車胡同齊白石故居廣亮大門
位于北京西城區跨車胡同。

北京秦老胡同某宅四合院院門
位于北京東城區秦老胡同。

北京四合院門頭磚雕

北京四合院門枕石

地方民宅建築

平遥民居

位于山西省平遥縣。平遥古城是中國現存最爲完整的一座明清時期縣級城市。在古城裏，現存近3800處民居建築，大多爲明、清時期所建，多是青磚灰瓦的四合院，也有一些磚砌窑洞式民居。

平遥民居群體鳥瞰

位于山西平遥縣。

平遥民居街景
位于山西平遥縣。

平遥民居屋頂
位于山西平遥縣。

平遥民居某宅内宅門
位于山西平遥縣。

平遥民居某宅窑上房
位于山西平遥县。

平遥民居某宅錮窑窑臉
位于山西平遥縣。

■ 爨底下民居

位于北京市門頭溝區爨底下村。全村現存明清四合院七十餘套、住房五百餘間，大部分爲清代所建，建築材料主要爲當地産石料。

■ 爨底下民居景觀

位于北京門頭溝區。

爨底下民居石坎和石路
位于北京門頭溝區。

地方民宅建築

窯洞民居

窯洞民居是黃河中游黃土高原地區常見的住宅形式，分布于甘肅、陝西、山西和河南等地。從建築布局和結構上可分爲靠崖式、天井式和獨立式。靠崖式是直接依山靠崖挖掘橫洞而成；天井式是在平坦的地面挖出地下天井，然後在天井四壁開鑿窯洞；獨立式是以土坯或磚石建造的拱形房屋，上部覆土。

陝西省米脂縣窰洞群
位于陝西米脂縣。

陝西省米脂縣獨立式窰院
位于陝西米脂縣。

陝西省延安市七里鋪獨立式窯洞
位于陝西延安市七里鋪。

山西省平陸縣西侯村天井式窑洞
位于山西平陸縣西侯村。

山西省平陸縣西侯村窰洞內景
位于山西平陸縣西侯村。

河南省鞏義市靠崖式窰院
位于河南鞏義市。

河南省鞏義市窯洞門口
位于河南鞏義市。

地
方
民
宅
建
築

河南省鞏義市天井式窑洞
位于河南鞏義市。

河南省三門峽市天井式窰院
位于河南三門峽市。

徽派民居

指古代徽州地區的民居，主要分布在今皖南和贛東北。明、清時期，徽州商人在外經商賺錢後，返回鄉里大興土木，形成了具有地方特色的建築風格。民居多爲二、三層樓，平面爲"日"字或"目"字形。四周用高臺圍合，頂部以階梯狀封火山墻的形式高出屋面。徽派民居重視裝飾，木雕、磚雕和石雕均非常精美。徽派民居的藝術高峰在明代中期至明末，入清後逐漸降低。

安徽省黟縣西遞村村落全景
位于安徽黟縣西遞村。

地
方
民
宅
建
築

安徽省黟縣西遞村某宅廳堂
位于安徽黟縣西遞村。

安徽省黟縣西遞村民居馬頭山墻
位于安徽黟縣西遞村。

安徽省黟縣西遞村民居馬頭山墻
位于安徽黟縣西遞村。

安徽省黟縣西遞村民居木雕槅扇
位于安徽黟縣西遞村。

安徽省黟縣南屏村慎思堂大廳
位于安徽黟縣南屏村。

地方民宅建築

**安徽省黟縣宏村月
塘民居群**
位于安徽黟縣宏村。

安徽省黟縣宏村月塘民居內景

位于安徽黟縣宏村。

安徽省歙縣斗山街街巷
位于安徽歙縣。

安徽省歙縣某村街巷
位于安徽歙縣。

安徽省黄山市屯溪民居
位于安徽黄山市。

流坑村宅院

位于江西樂安縣流坑村。

全村的整體布局仍爲明代中期的格局，以一條竪巷將七

條橫巷連接起來。全村現有明、清時期住宅三十餘棟，多爲穿斗式梁架結構。

流坑村宅院思義堂

流坑村宅院大宅正門

江西省婺源縣山區民居
位于江西婺源縣。

地方民宅建築

江南水鄉民居

　　主要指蘇南和浙北太湖周邊的民居。房屋傍水而建，前門臨街，後門沿河，多建有泊船的小碼頭。房屋多以木架承重，屋脊高，進深大，防熱通風效果好。水鄉民居裝飾簡單，色彩素雅，給人以恬靜的感覺。

江蘇省昆山市周莊臨水民居後門
位于江蘇昆山市周莊。

江蘇省昆山市周莊臨水民居碼頭
位于江蘇昆山市周莊。

江蘇省昆山市周莊臨水民居連廊
位于江蘇昆山市周莊。

地方民宅建築

江蘇省吳江市同里鎮臨水鄉民居街巷
位于江蘇吳江市同里鎮。

江蘇水鄉民居後門

江蘇水鄉民居碼頭

浙江省紹興市民居街巷
位于浙江紹興市。

浙江省紹興市三味書屋入口
位于浙江紹興市。

浙江省紹興市三味書屋内院

位于浙江紹興市。

■ 土樓與圍屋

土樓與圍屋均爲客家人爲加強防禦、聚族而居的群體住宅。外圍有高大的圍墙，外觀猶如堡壘，內部以祖堂爲中心，居住房屋環祖堂而建，建築內生產、生活和防衛設施齊全。土樓主要分布于福建省西南部，常見類型有圓樓、方樓和府第式樓等，結構上以厚實的夯土墻承重，內部爲木構架。圍屋主要分布在廣東省梅州地區，建築材料以磚石爲主，由許多單體的平房或樓房圍砌而成一個建築群，不同于土樓的整體建築形式。

福建省永定縣初溪村圓形土樓群
位于福建永定縣初溪村。

福建省華安縣大地村二宜樓圓形土樓
位于福建華安縣大地村。

福建省華安縣大地村二宜樓內部
位于福建華安縣大地村。

福建省永定縣洪坑村振成樓圓形土樓大門
位于福建永定縣洪坑村。

福建省永定縣洪坑村振成樓底層通廊

位于福建永定縣洪坑村。

福建省永定縣洪坑村振成樓圓形土樓內景

福建省永定縣社前村方形土樓群
位于福建永定縣社前村。

福建省永定縣撫市鎮方形土樓
位于福建永定縣撫市鎮。

地
方
民
宅
建
築

福建省南靖縣田螺坑土樓群
位于福建南靖縣。

福建省永定縣大堂腳村府第式土樓
位于福建永定縣大堂腳村。

廣東省始興縣滿堂村滿堂圍上圍內院
位于廣東始興縣滿堂村。

廣東省始興縣滿堂村滿堂圍外觀
位于廣東始興縣滿堂村。

廣東省梅縣圍屋
位于廣東梅縣。

廣東省梅縣圍屋後屋
位于廣東梅縣。

廣東省梅縣白宮鎮某圍屋外觀
位于廣東梅縣白宮鎮。

廣東省梅縣白宮鎮某圍屋大廳院落
位于廣東梅縣白宮鎮。

■ 開平碉樓

　　位于廣東省開平市。碉樓是一種集中西建築藝術于一體的多層塔樓式建築，兼具防衛、居住等功能。

■ 廣東省開平市錦江里碉樓群

位于廣東開平市錦江里。

廣東省開平市自力村銘石樓
位于廣東開平市自力村。

"三坊一照壁" 民居

主要流行于雲南白族地區的民居形式。"坊"即一棟三開間二層的房子，"三坊一照壁"是由三棟三開間的二層建築圍合而成的三合院，加上一個照壁組成的。

另外還有一種四合院加上入口照壁，稱爲"四合五天井"。這種形式的民居主要是爲了適應當地風大和地震多的自然條件。

雲南省大理市"三坊一照壁"民居外觀
位于雲南大理市。

雲南省大理市"三坊一照壁"民居照壁
位于雲南大理市。

雲南省麗江市"三坊一照壁"民居院落内景
位于雲南麗江市。

雲南省麗江市"四合五天井"民居
位于雲南麗江市。

■ 干闌式民居

中國南方濕熱地區，爲了通風、采光和安全，住宅多采用下部架空的干闌式構造，其特點是用木或竹爲柱梁搭成小樓，上層住人，下層飼養牲畜或儲存雜物。

在西南依山傍水的地區，還有用木柱支撐建樓，下層懸空，樓層前面爲樓，後面落地的特殊形式，稱爲 "吊脚樓"。

貴州省雷山縣千家寨干闌式民居村落

位于貴州雷山縣千家寨。

雲南省景洪市傣族竹樓
位于雲南景洪市。

雲南省瑞麗市傣族竹樓內景
位于雲南瑞麗市。

湖南省鳳凰縣吊脚樓
位于湖南鳳凰縣。

蒙古包

蒙古族爲適應游牧生活需要搭建的氈棚。一般爲圓形，上爲傘形氈蓋，下爲圓筒氈墻，用毛繩從四面繫住，頂端中央留天窗采光、通風及排烟。

内蒙古自治區錫林浩特市蒙古包

位于内蒙古錫林浩特市。

蒙古包内景

新疆維吾爾族民居

　　新疆喀什、和田等地區用磚、土坯外墙和木架、密肋相結合的結構，依地形組合爲院落式住宅。房屋爲平頂，前廊空間開敞。

新疆維吾爾自治區喀什市一層民居天井
位于新疆喀什市。

新疆維吾爾自治區喀什市二層民居天井
位于新疆喀什市。

新疆維吾爾自治區喀什市二層民居
位于新疆喀什市。

藏族碉房

　　青藏地區常見的住宅形式。住宅用石壘砌或土築，平面多呈方形，外墙厚實穩重，形似碉堡，故名碉房。高三四層，底層飼養家畜，二層爲竈房貯室，三層爲卧室，頂層爲經堂和曬臺。

西藏薩迦縣碉房民居村落

位于西藏薩迦縣。

私家園林建築

拙政園

　　位于江蘇省蘇州市東北街。明正德四年（公元1509年）御史王獻臣始建此園，後多次易主，現存規模爲清末所建。全園由中區（拙政園）、西園（補園）及東園（歸田園居）三部分組成，占地約5.2公頃，居蘇州諸園之冠。中區爲全園的主體，整體布局以水爲中心，水面約占五分之三，建築多臨水而建，主體建築爲遠香堂。拙政園布局采用分割空間、利用自然、對比借景的手法，因地造景，是中國古典園林中的名園。

拙政園遠香堂

位于江蘇蘇州市東北街拙政園内。

拙政園枇杷園
位于江蘇蘇州市東北街拙政園內。

拙政園綉綺亭
位于江蘇蘇州市東北街拙政園內。

私家園林建築

拙政園小飛虹
位于江蘇蘇州市東北街拙政園内。

拙政園香洲
位于江蘇蘇州市東北街拙政園内。

拙政園別有洞天
位于江蘇蘇州市東北街拙政園內。

拙政園別有洞天外望

拙政園見山樓

位于江蘇蘇州市東北街拙政園內。

私
家
園
林
建
築

拙政園柳蔭路曲
位于江蘇蘇州市東北街拙政園內。

拙政園雪香雲蔚亭
位于江蘇蘇州市東北街拙政園內。

拙政園梧竹幽居

位于江蘇蘇州市東北街拙政園内。

拙政園海棠春塢
位于江蘇蘇州市東北街拙政園内。

拙政園三十六鴛鴦館
位于江蘇蘇州市東北街拙政園内。

拙政園倒景樓

位于江蘇蘇州市東北街拙政園内。

拙政園雲墙

位于江蘇蘇州市東北街拙政園内。

拙政園與誰同坐軒
位于江蘇蘇州市東北街拙政園内。

私
家
園
林
建
築

拙政園圓形門
位于江蘇蘇州市東北街拙政園内。

拙政園水廊
位于江蘇蘇州市東北街拙政園内。

網師園

　　位于江蘇省蘇州市帶城橋路闊家頭巷。原爲南宋時侍郎史正志萬卷堂故址，稱"漁隱"，清乾隆年間宋宗元重建，自比漁人，故稱網師園。此園占地5400平方米，住宅和花園融爲一體，布局緊凑。園內可分爲南、中、北三部分，南部爲宴聚賓客、撫琴聽曲之所；中部以池水爲中心，環以亭閣軒廊和山石花木，爲觀景休閑之所；北部爲讀書作畫之所。

網師園月到風來亭

位于江蘇蘇州市帶城橋路闊家頭巷網師園內。

私
家
園
林
建
築

網師園射鴨廊
位于江蘇蘇州市帶城橋路闊家頭巷網師園内。

網師園小山叢桂軒

位于江蘇蘇州市帶城橋路闊家頭巷網師園内。

私
家
園
林
建
築

網師園小山叢桂軒內景

網師園冷泉亭
位于江蘇蘇州市帶城橋路闊家頭巷網師園內。

網師園看松讀畫軒外望
位于江蘇蘇州市帶城橋路闊家頭巷網師園內。

網師園萬卷堂內景

位于江蘇蘇州市帶城橋路闊家頭巷網師園內。

網師園梯雲室石庭
位于江蘇蘇州市帶城橋路闊家頭巷網師園内。

私家園林建築

留園

　　位于江蘇省蘇州市閶門外。明萬曆年間徐時泰建東園，清嘉慶時觀察使劉恕改爲寒碧山莊，又稱劉園，同治年間盛康重修，改名留園。現留園占地3.3萬平方米，可分爲中、東、西、北四個部分。中區爲明代東園舊所，東、西、北三區爲清代所建。中區以池爲中心，四周環以假山和亭臺樓榭；東區以建築和庭院爲主，其中五峰仙館爲蘇州園林中最大的廳堂，"冠雲峰"爲江南最大的湖石；西區以假山爲主，山上林木葱蘢；北區原建築已毀。

留園曲廊
位于江蘇蘇州市留園内。

留園古木交柯
位于江蘇蘇州市留園内。

留園濠濮亭外望遠翠閣
位于江蘇蘇州市留園内。

留園明瑟樓

位于江蘇蘇州市留園內。

留園清風池館
位于江蘇蘇州市留園內。

留園可亭
位于江蘇蘇州市留園內。

留園曲谿樓
位于江蘇蘇州市留園內。

留園曲谿樓門洞

位于江蘇蘇州市留園內。

私
家
園
林
建
築

留園五峰仙館
位于江蘇蘇州市留園内。

留園五峰仙館內景

留園冠雲峰與冠雲樓
位于江蘇蘇州市留園內。

私家園林建築

留園冠雲樓西側迴廊
位于江蘇蘇州市留園内。

留園拼花石徑
位于江蘇蘇州市留園内。

滄浪亭

位于江蘇省蘇州市城南。原爲五代吳越國王妻舅孫承祐的別墅，北宋詩人蘇舜欽購園并臨水建滄浪亭。元代園廢，改爲寺庵。清康熙年間重修，後遭毀壞。同治十二年（公元1873年），巡撫張樹聲重修。現存山水布局仍爲宋時面貌，園内建築均爲清代所構。采用園外借山、園前借水的手法，將園内園外景色融爲一體，形成獨特的開放式園林風格。

滄浪亭

位于江蘇蘇州市滄浪亭内。

滄浪亭臨水亭廊及面水軒
位于江蘇蘇州市滄浪亭内。

滄浪亭翠玲瓏內景
位于江蘇蘇州市滄浪亭內。

滄浪亭漏窗
位于江蘇蘇州市滄浪亭內。

■ 獅子林

位于江蘇省蘇州市園林路。元代至正二年（公元1342年）天如禪師在此築寺，稱獅子林，爲前寺後園；後易名前寺爲菩提正宗寺，後園爲獅子林。明嘉靖年間爲宅院，民國時爲貝氏家祠的附屬花園。此園以假山著稱，洞壑宛轉，曲折盤旋，有"桃源十八景"之稱，獅子峰爲諸峰之首。全園布局東南多山，西北多水，長廊縈繞，樓臺隱現，別具一格。

獅子林水池景區

位于江蘇蘇州市園林路獅子林内。

獅子林假山
位于江蘇蘇州市園林路獅子林内。

獅子林曲橋與湖心亭
位于江蘇蘇州市園林路獅子林内。

私
家
園
林
建
築

獅子林游廊和扇亭
位于江蘇蘇州市園林路獅子林內。

獅子林燕譽堂庭院石組花臺
位于江蘇蘇州市園林路獅子林內。

獅子林立雪堂內景
位于江蘇蘇州市園林路獅子林內。

獅子林立雪堂庭院
位于江蘇蘇州市園林路獅子林內。

私
家
園
林
建
築

獅子林曲廊
位于江蘇蘇州市園林
路獅子林内。

獅子林海棠形門
位于江蘇蘇州市園林
路獅子林内。

藝圃

　　位于江蘇省蘇州市文衙弄。始建于明，原爲文徵明曾孫文震孟的私宅花園，名藥圃。清早期易名爲藝圃，又稱敬亭山房。全園面積約爲5畝，以池水爲中心，池北建水榭等建築，爲園內的主要活動場所；池南以假山爲主。園景開朗自然，較多地保存了明代園林格局。

藝圃浴鷗門

位于江蘇蘇州市文衙弄藝圃內。

私
家
園
林
建
築

藝圃響月廊

位于江蘇蘇州市文衙弄藝圃內。

藝圃乳魚亭
位于江蘇蘇州市文衙弄藝圃内。

藝圃池南假山
位于江蘇蘇州市文衙弄藝圃内。

私家園林建築

耦園

位于江蘇省蘇州市小新橋巷。因住宅東西各有一園，故名。東園建于清初，西園建于清末。總體布局爲住宅居中，花園分東西兩側。東園以山池爲中心，假山以黄石叠砌，氣勢雄渾；西園較小，以書齋"織簾老屋"爲中心。

耦園城曲草堂

位于江蘇蘇州市小新橋巷耦園内。

耦園雙照樓
位于江蘇蘇州市小新橋巷耦園內。

私家園林建築

耦園山水間
位于江蘇蘇州市小新橋巷耦園內。

耦園山水間外望
位于江蘇蘇州市小新橋巷耦園內。

曲園

　　位于江蘇省蘇州市馬醫科巷。始建于清代同治十三年（公元1874年），爲清代著名學者俞樾的故居。全園占地5畝，花園小而狹長，但亭、臺、樓、榭俱全。園中布局緊湊，樸素典雅。

曲園曲水亭
位于江蘇蘇州市馬醫科巷曲園内。

曲園春在堂庭院
位于江蘇蘇州市馬醫科巷曲園内。

私家園林建築

環秀山莊

　　位于江蘇省蘇州市景德路。其地原爲宋景德寺舊址，亦曾爲書院及官署。明代萬曆年間由申時行改爲私宅，清道光末年歸汪氏所有，始名環秀山莊，又名頤園。此園面積僅2180平方米，園以清代疊山大家戈裕良所建假山爲主，以池水爲輔，因而得名"山莊"。其假山雖僅占地500平方米，却闢有60餘米的山徑，盤旋曲折，變化多端，形成了峭壁、洞壑、澗谷、危道、石室等景觀，惟妙惟肖，變化無窮。

環秀山莊庭院

位于江蘇蘇州市景德路環秀山莊内。

環秀山莊問泉亭
位于江蘇蘇州市景德
路環秀山莊內。

環秀山莊橋池假山
位于江蘇蘇州市景德
路環秀山莊內。

私
家
園
林
建
築

環秀山莊假山
位于江蘇蘇州市景德路環秀山莊内。

瞻園

　　位于江蘇省南京市瞻園路。原爲明初中山王徐達府邸西圃，清初爲官署，清乾隆帝南巡時御題"瞻園"匾額，清嘉慶年間闢爲園林。太平天國時期先後爲東王楊秀清府、夏官副丞相賴漢英衙署和幼西王蕭友和府。

後毀于戰火，清同治、光緒年間曾兩次重修。此園占地5280平方米，其中以山石爲主景，以水爲陪襯。園以花廳静妙堂爲中心，南北兩面布置山池，西爲土阜，東設曲廊。

瞻園假山與亭廊
位于江蘇南京市瞻園路瞻園内。

瞻園曲廊
位于江蘇南京市瞻園路瞻園内。

私家園林建築

瞻園静妙堂
位于江蘇南京市瞻園路瞻園内。

瞻園静妙堂内景

瞻園假山與水池
位于江蘇南京市瞻園路瞻園内。

个園

　　位于江蘇省揚州市東關街。清嘉慶年間兩淮鹽首黃氏在明代壽芝園舊址上修建的住宅花園。黃氏愛竹，因竹葉形似"个"字，故取園名爲"个園"。此園布局緊凑，以四季假山景聞名，分別以笋石、湖石、黃石和礐石堆叠春、夏、秋、冬四季假山，立意獨到，巧奪天工。

个園春山

位于江蘇揚州市東關街个園内。

个園夏山

位于江蘇揚州市東關街个園内。

个園秋山

位于江蘇揚州市東關街个園内。

个園冬山
位于江蘇揚州市東關街个園内。

个園宜雨軒
位于江蘇揚州市東關街个園内。

私家園林建築

何園

　　位于江蘇省揚州市徐凝門街。清光緒年間何氏在明代雙槐園舊址上擴建成此園，又名寄嘯山莊。全園以二層樓的複廊分爲東、西兩部分。西區以水池爲中心，建築依墻做周邊布置，東部以四面廳爲中心，環以花木、山石、亭閣。宅東南原有片石山房，後何氏購得納于園中，其中大假山相傳爲清代大畫家石濤的疊石作品。

何園蝴蝶廳

位于江蘇揚州市徐凝門街何園內。

何園小方壺
位于江蘇揚州市徐凝門街何園内。

何園玉綉樓底層迴廊
位于江蘇揚州市徐凝門街何園内。

何園片石山房大假山

位于江蘇揚州市徐凝門街何園內。

寄暢園

位于江蘇省無錫市惠山東麓。始建于明正德年間，舊名鳳谷行窩，後改名寄暢園。全園大體分爲東西兩部分，東部以水廊爲主，西部以假山樹木爲主。園子的面積雖不大，但近以惠山爲背景，遠以東南方錫山龍光塔爲借景，四周景物開闊自然，起伏多變。

寄暢園秉禮堂水院

位于江蘇無錫市惠山寄暢園内。

私
家
園
林
建
築

寄暢園知魚檻
位于江蘇無錫市惠山寄暢園内。

寄暢園七星橋
位于江蘇無錫市惠山寄暢園内。

退思園

　　位于江蘇省吳江市同里鎮。園建于清光緒十一年至
十三年（公元1885–1887年），園主任蘭生貶官後建此
園，取"退思補過"之意。園占地9.8畝，西部爲住宅，
東部爲園林。園林以水池爲中心，配以假山、建築和花
草樹木。水岸的退思草堂爲全園的主景。

退思園畹薌樓

位于江蘇吳江市同里鎮退思園内。

私
家
園
林
建
築

退思園退思草堂與鬧紅一舸
位于江蘇吳江市同里鎮退思園内。

退思園菰雨生凉、天橋與辛臺
位于江蘇吳江市同里鎮退思園内。

私
家
園
林
建
築

退思園闈紅一舸外望

近園

　　位于江蘇省常州市長生巷常州賓館内。建于清康熙年間，是江南現存的一座清早期繼承晚明風格的古典園林。園面積不大，但經營得當，亭檻堂閣，石巒花徑，池水樹木，錯落有致。

近園西野草堂

位于江蘇常州市長生巷近園内。

近園虛舟

位于江蘇常州市長生巷近園内。

近園得月軒
位于江蘇常州市長生巷近園内。

近園曲廊
位于江蘇常州市長生巷近園内。

豫園

　　位于上海市黃浦區老城廂福佑路南、安仁街西。原爲明代嘉靖年間潘允端以"豫悦老親"爲其父養老而建，名爲豫園，清乾隆時期重修。現占地2萬多平方米，有大假山、點春堂、萬花樓、玉玲瓏諸景區，以及園中園的內園。園內奇石幽澗，頗具林泉之樂，有"東南名園冠"之稱。

豫園捲雨樓

位于上海黃浦區老城廂豫園內。

私家園林建築

豫園魚樂榭
位于上海黄浦區老城廂豫園内。

豫園快樓

位于上海黃浦區老城厢豫園內。

豫園跨水花墙

位于上海黃浦區老城厢豫園内。

豫園穿雲龍墻
位于上海黃浦區老城厢豫園内。

私
家
園
林
建
築

豫園湖石玉玲瓏
位于上海黃浦區老城廂豫園內。

豫園黃石假山
位于上海黃浦區老城厢豫園内。

私
家
園
林
建
築

豫園瓶形門
位于上海黃浦區老城廂豫園内。

秋霞圃

　　位于上海市嘉定區嘉定鎮東大街。原爲明代尚書龔弘的私園，清雍正年間劃歸城隍廟。園以狹長水面爲中心，池南假山以土帶石，臨池構曲岸石磯；池北以廳堂爲主，多隱于山石花木中。

秋霞圃碧梧軒與碧光亭

位于上海嘉定區嘉定鎮東大街秋霞圃內。

綺園

　　位于浙江省海鹽縣武原鎮。原爲明代舊園，清同治年間重修。園中建花廳、四面軒等建築，前設曲橋，隔池築山。該園爲浙江現存規模最大、保存最好的一處園林，有"浙中第一園"之稱。

綺園潭影軒

位于浙江海鹽縣武原鎮綺園内。

可園

　　位于廣東省東莞市可園路。始建于清道光年間。園占地僅2200平方米，但小中見大，建築、山池、花木等景物極爲豐富，具有濃厚的嶺南地方特色。

可園綠綺樓

位于廣東東莞市可園路可園内。

可園可亭

位于廣東東莞市可園路可園内。

餘蔭山房

　　位于廣東省廣州市番禺區南村鎮。建于清同治年間。餘蔭山房占地僅2000平方米，但亭臺樓榭、曲徑迴廊、山池花卉一應俱全。以池苑與臨水樓臺館舍相配合，小巧玲瓏，含蓄幽邃。

餘蔭山房臨池別館

位于廣東廣州市番禺區南村鎮餘蔭山房内。

餘蔭山房玲瓏水榭

位于廣東廣州市番禺區南村鎮餘蔭山房內。

私家園林建築

餘蔭山房曲廊
位于廣東廣州市番禺區南村鎮餘蔭山房内。

餘蔭山房浣紅跨綠橋
位于廣東廣州市番禺區南村鎮餘蔭山房内。

十笏園

　　位于山東省濰坊市胡家牌坊街。因園主姓丁，又稱丁家花園。建于清光緒年間。該園面積僅3畝餘，但無擁塞局促之感。園區分爲前部山池區與後部建築庭院區兩部分。園區以水池爲主體，池東疊石爲山，池西設一帶長廊，池中有水榭。

十笏園浣霞水榭

位于山東濰坊市胡家牌坊街十笏園内。

十笏園長廊

位于山東濰坊市胡家牌坊街十笏園内。

十笏園庭院一角

位于山東濰坊市胡家牌坊街十笏園內。

私
家
園
林
建
築

十笏園月亮門
位于山東濰坊市胡家牌坊街十笏園內。